CW00661815

Ce livre appartient à :

Imogen
Rowe.

Casterman
Cantersteen 47
1000 Bruxelles

www.casterman.com

ISBN : 978-2-203-12576-6
N° d'édition : L.10EJCN000603.N001

# martine
## la leçon de dessin

d'après les albums de Gilbert Delahaye et Marcel Marlier,
texte de Jean-Louis Marlier

casterman

Martine est très fière : elle
emmène Patapouf chez
Monsieur Surkoff,
l'artiste du coin.
Celui-ci lui a
demandé de faire
le portrait de son ami.
Le petit chien n'est pas
très rassuré.

– Ah, voici notre nouveau modèle. Mon mari sera ravi de le croquer, dit Madame Surkoff.

– Me croquer ? Vite, partons !

– Rassure-toi, Patapouf ! Croquer veut dire « dessiner », dit Martine en riant.

Martine observe le dessinateur.

Le crayon glisse sur le papier.

Un trait ici et quelques
hachures là.
Et voilà un Patapouf !

— Veux-tu essayer, Martine ?
demande l'artiste.

— Comme Patapouf n'arrête
pas de bouger, je vais plutôt
dessiner ce modèle en plâtre !
Patapouf est déçu et jaloux !

— Mais c'est
très bien.
Tu as déjà
un bon coup
de crayon ! dit Monsieur
Surkoff. Sur le papier,
on peut tout inventer.
Voici un Patapouf qui vole
dans le ciel.

Quelques traits et hop !

Le voilà, roi des oiseaux !

On peut aussi lui faire jouer
du violon. Ou lui faire
danser la polka. Et en avant
la musique !
— C'est impressionnant !
dit Martine.
Patapouf adore être le roi !

Le dimanche suivant,

en arrivant à l'atelier,

Martine découvre une toile.

— **Oh !** Regarde,
Patapouf, c'est toi !
— Apporte-moi la
corbeille de fruits,
propose Monsieur Surkoff.
Une pomme ici, là une poire.
Il s'agit de faire une jolie
composition.

Ensuite, on dessine au
fusain. Enfin, la couleur !
— Regarde. Pour l'orange,
je mélange du jaune et
du rouge. Pour le vert,
je mêle le jaune et le bleu.

— Maintenant, allons
planter le chevalet
dehors pour profiter
du paysage.

C'est plus difficile. Il faut
dessiner le ciel, les nuages.
Et les maisons plus petites
parce qu'elles sont plus loin.

**Oh !** Un insecte s'est posé
sur la main de Martine.
— Je vais faire ton portrait,
dit-elle. Tes ailes ont les
couleurs de l'arc-en-ciel.
Patapouf est déçu de
ne plus être la vedette.

Mais, voilà que le tonnerre gronde. **Zut !**
Les nuages sont gris et bleu foncé. Cela ferait un beau dessin mais il faut ramasser papiers et aquarelles…

— Vite, entrons ici, dit Martine. Attention Patapouf, tu mets de l'eau partout. **Noooon !** Pas sur mes dessins.

Patapouf, s'est un peu vengé. Lui aussi, il existe !

Soudain, le petit chien se fige. Un fantôme !

— Mais non, grand froussard, dit Martine. Regardons sous le drap !

— N'y touchez pas, dit le professeur. C'est une surprise pour une exposition. Vous êtes dans mon atelier de sculpture.

— Tu peux prendre un peu
de terre glaise dans le coffre.
Martine réalise un âne tandis
que Monsieur Surkoff
modèle une superbe réplique
de Patapouf !

— Je suis trop beau,
je mérite bien d'avoir une
statue à mon nom, pense
le petit chien.

Voici arrivé, le jour de
l'exposition annoncée
par Monsieur Surkoff.

— Mais cette statue, c'est
Patapouf et moi ! crie
Martine. Voilà le fantôme !
Voilà la surprise !

Les chiens sont interdits.

Mais, Patapouf, très fier,

a rameuté tous ses amis.

**Wouh ! Wouh !**

Quelle pagaille !

Toute la ville en rit encore…

# Titres disponibles

1. **martine** petit rat de l'opéra
2. **martine** un trésor de poney
3. **martine** apprend à nager
4. **martine** un mercredi formidable
5. **martine** la nouvelle élève
6. **martine** a perdu son chien
7. **martine** à la montagne
8. **martine** fait du théâtre
9. **martine** et la sorcière
10. **martine** en classe de découverte
11. **martine** se dispute
12. **martine** déménage
13. **martine** et le cadeau d'anniversaire
14. **martine** monte à cheval
15. **martine** la nuit de noël
16. **martine** est malade
17. **martine** fait les courses
18. **martine** drôle de chien
19. **martine** et les lapins du jardin
20. **martine** en bateau
21. **martine** à la mer
22. **martine** et les fantômes
23. **martine** au pays des contes
24. **martine**, princesses et chevaliers
25. **martine** à la maison
26. **martine** et les chatons
27. **martine** à la fête foraine
28. **martine**, l'arche des animaux
29. **martine** garde son petit frère
30. **martine**, la leçon de dessin
31. **martine** et le petit âne
32. **martine** fait du vélo
33. **martine** dans la forêt
34. **martine** et les marmitons
35. **martine** au cirque
36. **martine** en voyage
37. **martine** la surprise
38. **martine** baby-sitter
39. **martine** fait du camping
40. **martine** et son ami le moineau
41. **martine** se déguise
42. **martine** protège la nature
43. **martine** fait de la musique
44. **martine** prend le train
45. **martine** en vacances
46. **martine** en montgolfière
47. **martine** au zoo
48. **martine** et le prince mystérieux
49. **martine** en avion
50. **martine** fête maman
51. **martine** à la ferme
52. **martine** et les quatre saisons
53. **martine**, vive la rentrée !
54. **martine** fait la cuisine
55. **martine** au parc
56. **martine** fait de la voile